Tywydd

Catriona Clarke
Dylunio gan Andrea Slane
Lluniau gan Kuo Kang Chen

Lluniau ychwanegol gan Tim Haggerty
Ymgynghorydd tywydd: Dr. Roger Trend, Prifysgol Caerwysg
Addasiad Cymraeg: Elin Meek

Cynnwys

Glaw neu hindda

Haul, glaw, gwynt, eira. Mae pob math o dywydd yn digwydd nawr yn rhywle yn y byd.

Dyma storm eira yn Efrog Newydd, UDA.

Beth yw tywydd?

Mae tri pheth pwysig sy'n gwneud i'r tywydd ddigwydd: gwres, dŵr ac aer.

Mae'r Haul yn rhoi gwres sy'n cynhesu'r Ddaear.

Mae dŵr yn gwneud cymylau a glaw. Mae hefyd yn gwneud niwl, cesair ac eira.

Mae aer yn symud o gwmpas bob amser gan wneud i'r gwynt chwythu.

Mae'r Ddaear wedi'i lapio mewn blanced gynnes o aer o'r enw'r atmosffer. Dyma lle mae'r tywydd yn digwydd.

O'r gofod, mae'r atmosffer yn edrych fel cylch glas o gwmpas y Ddaear. Cymylau yw'r darnau gwyn sy'n chwyrlïo.

Dŵr yn symud

Mae dŵr bob amser yn symud rhwng y môr, yr aer a'r tir. Y gylchred ddŵr yw'r enw ar hyn.

1. Mae'r Haul yn cynhesu'r dŵr yn y môr. Mae'r dŵr yn troi'n nwy anweledig.

2. Mae'r nwy'n codi ac yn troi'n ddefnynnau bach o ddŵr, gan wneud cymylau.

Gall y glaw sy'n syrthio arnat ti fod wedi syrthio ar ddeinosor filiynau o flynyddoedd 'nôl.

3. Mae'r defnynnau bach yn bwrw i mewn i'w gilydd ac yn uno i wneud diferion mwy.

4. Pan fydd y diferion dŵr yn ddigon trwm, maen nhw'n cwympo fel glaw.

5. Mae afonydd yn cario'r dŵr glaw 'nôl i'r môr. Mae'r gylchred ddŵr yn dechrau eto.

7

Cymylau

Mae gwahanol fathau o gymylau'n golygu
y bydd gwahanol fathau o dywydd.

Mae cymylau
cwmwlws gwyn yn
golygu bod tywydd
braf yn dod, fel arfer.

Mae cymylau stratws
yn gorchuddio'r awyr –
efallai bydd niwl neu
law mân.

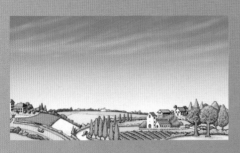

Mae cymylau cirrus tenau fry yn yr awyr yn golygu y gall hi fwrw glaw neu eira.

Gall fod storm fellt a tharanau gyda chwmwl cwmwlonimbws mawr.

Pan fydd defnynnau bach o ddŵr yn ymffurfio'n agos at y ddaear, niwl neu niwlen yw'r enw ar hyn.

Dyma Bont Golden Gate yn California, UDA. Mae hi'n niwlog yno'r rhan fwyaf o'r amser.

Grisialau iâ

Pan fydd yr awyr yn oer iawn,
mae'r dŵr mewn cymylau'n
rhewi i wneud grisialau iâ bach
o'r enw plu eira.

Fel arfer mae
chwe phwynt gan
blu eira.

Does dim dwy
bluen eira sy'n union
yr un siâp.

Dyma sut mae plu eira'n edrych o dan ficrosgop.

Mae pibonwy'n ymffurfio pan fydd yr Haul yn disgleirio ar eira ar doeon tai neu goed.

Mae'r eira'n toddi. Mae'r dŵr yn diferu i'r cysgod oer, lle mae'n rhewi.

Mae rhagor o ddŵr yn diferu'n araf i lawr, gan ffurfio rhagor o 'fysedd' rhew.

Trydan yn yr awyr

Mae stormydd mellt a tharanau'n digwydd pan fydd cwmwl cwmwlonimbws yn ymffurfio yn yr awyr.

Gall gwyntoedd cryf yn y cwmwl chwyrlïo glaw, eira a chesair i fyny ac i lawr.

Mae hyn yn gwneud mwy a mwy o drydan. Mae'n dianc i lawr i'r ddaear fel mellt.

Weithiau mae mellten yn taro coed ac adeiladau ar ei ffordd o'r cwmwl i'r ddaear.

Taran yw'r sŵn mae
mellten yn ei wneud
wrth dwymo'r aer
sydd o'i hamgylch.

Mellten fforchog
yw'r enw ar y
math yma o
fellten.

Gan fod golau'n teithio'n
gyflymach na sain, rwyt ti
bob amser yn gweld y
fellten cyn clywed y daran.

Peli mawr o rew

Mae cesair yn ymffurfio y tu mewn i gymylau storm enfawr, felly mae cesair neu genllysg yn aml yn digwydd yr un pryd â mellt a tharanau.

1. Mae defnynnau dŵr yn cael eu chwythu i ben cwmwl gan hyrddiau o aer.

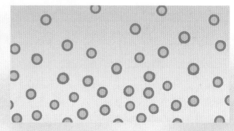

2. Mae'r defnynnau'n rhewi. Wrth ddisgyn mae haen o ddŵr yn ffurfio o'u cwmpas nhw.

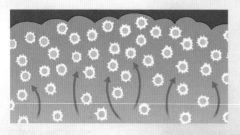

3. Mae haen arall o ddŵr yn rhewi wrth i'r cesair gael eu chwythu i fyny eto.

4. Wedi sawl tro, bydd y cesair yn rhy drwm ac yn cwympo o'r awyr.

O dorri ceseiren yn ei hanner, mae'r haenau fel rhai winwnsyn neu nionyn.

Dyma'r geseiren fwyaf erioed. Cwympodd hi yn Nebraska, UDA yn 2003.

Mae'r llun yma hanner maint go iawn y geseiren.

Gwynt gwyllt

Aer sy'n symud yw gwynt. Mae'n digwydd pan fydd aer poeth yn codi ac aer oer yn rhuthro i mewn i gymryd ei le. Mae cryfder y gwynt yn cael ei fesur ar raddfa o 1 i 12.

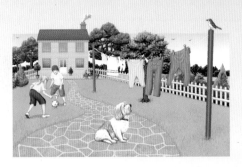

Mae awel grym 2 yn sychu'r dillad ar y lein.

Mae gwynt grym 5 yn chwythu'r dail oddi ar y coed.

Tymestl yw gwynt grym 9. Mae'n gallu chwythu teils o'r to.

Corwynt yw gwynt grym 12. Mae'n gallu dinistrio tai.

Mae corwynt yn dechrau pan fydd aer poeth yn codi'n gyflym dros y môr ac yn dechrau troelli gan achosi storm fawr gyda glaw trwm.

Pan fydd corwynt yn cyrraedd y tir, mae tonnau enfawr a gwyntoedd cryf yn taro'r arfordir.

Roedd yr hen Roegwyr yn credu mai anadl y Duwiau oedd y gwynt.

17

Tornados dychrynllyd

Gwyntoedd mawr sy'n troelli yw tornados.

Mae tornado fel sugnwr llwch anferth. Mae'n sugno pethau o'r ddaear.

1. Mae'r aer mewn cwmwl storm yn dechrau chwyrlïo'n araf.

2. Mae'r aer yn chwyrlïo'n gynt ac yn gynt. Mae'r cwmwl yn dechrau newid ei siâp.

3. Mae aer poeth yn cael ei sugno i'r cwmwl. Mae'r cwmwl siâp twndis neu dwmffat.

4. Mae'r cwmwl yn cyffwrdd â'r ddaear gan ddinistrio popeth o'i flaen wrth symud.

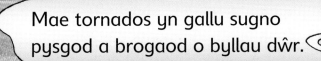

Mae tornados yn gallu sugno pysgod a brogaod o byllau dŵr.

Gwyddonwyr tywydd

Mae gwyddonwyr yn mesur y tywydd ac yna maen nhw'n dweud sut bydd y tywydd.

Mae cyflymder y gwynt a'r glaw yn cael eu mesur mewn gorsafoedd tywydd ledled y byd.

Mae awyrennau arbennig yn hedfan i mewn i gymylau i fesur faint o ddŵr sydd ynddyn nhw.

Mae lloerennau yn y gofod yn tynnu lluniau o gymylau a stormydd ar y Ddaear.

Mae rhai pobl yn meddwl bod gwartheg yn gorwedd cyn iddi ddechrau bwrw glaw.

Mae balwnau tywydd yn mynd fry i'r awyr i fesur tymheredd yr aer.

Mae'r gwyddonwyr yn rhoi'r wybodaeth hon at ei gilydd i roi rhagolygon y tywydd.

Corwynt yng Nghefnfor Iwerydd yw'r cwmwl gwyn hwn sy'n chwyrlïo.

Hud anifeiliaid

Mae tywydd yn effeithio ar anifeiliaid hefyd, nid ar bobl yn unig.

Er enghraifft, mae ffwr ysgyfarnog yr eira'n troi o frown i wyn erbyn y gaeaf.

Dydy'r eryrod sy'n hela'r ysgyfarnog ddim yn gallu ei gweld hi yn yr eira.

Bob blwyddyn mae rhai adar yn hedfan yn bell iawn i osgoi tywydd oer y gaeaf.

Mae rhai anifeiliaid, fel pathewod, yn cysgu drwy'r gaeaf. Gaeafgysgu yw'r enw ar hyn.

Pan fydd hi'n oeri, mae pathew'n bwyta llawer o ffrwythau a hadau.

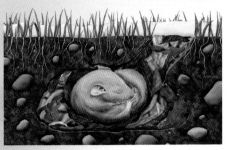

Mae'n gwneud nyth glyd o dan ddaear neu mewn coeden ac mae'n mynd i gysgu.

Chwe mis yn ddiweddarach, mae'n dihuno, yn barod ar gyfer yr haf.

Poeth ac oer

Mae'r tywydd mor eithafol mewn rhai mannau, does dim llawer o bobl neu anifeiliaid yn byw yno.

Diffeithdir Sahara yn Affrica yw un o'r mannau poethaf a sychaf ar y Ddaear.

Mae camelod yn gallu byw yma achos gallan nhw fyw heb ddŵr am amser hir.

O dan yr haul tanbaid, mae'r creigiau'n ddigon poeth i ffrio wy arnyn nhw!

Yr Antarctig yw'r lle oeraf yn y byd.

Pengwiniaid yw un o'r ychydig anifeiliaid sy'n gallu byw yno.

Maen nhw'n cwtshio'n agos at ei gilydd i gadw'n gynnes.

25

Tywydd rhyfedd

Mewn rhai mannau o'r byd mae'r tywydd yn gwneud i bethau rhyfedd ddigwydd.

Mae rhai pobl yn meddwl bod cymylau rhyfedd fel hyn yn edrych fel llongau gofod.

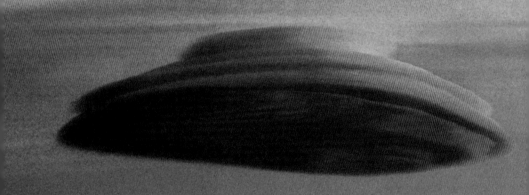

Cwmwl lensaidd yw hwn. Maen nhw fel arfer yn ymffurfio ger mynyddoedd.

Weithiau mae diferion glaw coch yn syrthio o'r awyr.

Mae gwyntoedd yn codi tywod coch o ddiffeithdiroedd yn Affrica ac yn ei gario dros y môr.

Mae'r tywod yn cymysgu â'r defnynnau dŵr yn y cymylau i wneud y glaw coch.

Un tro, cwympodd cenllysgen a chrwban ynddi o gwmwl storm yn Mississippi, UDA!

27

Ydy hi'n cynhesu?

Mae llawer o wyddonwyr yn meddwl bod atmosffer y Ddaear yn cynhesu'n araf.

Mae'r aer yn yr atmosffer fel blanced sy'n cadw'r Ddaear yn gynnes.

Pan fydd tanwydd fel olew a glo yn cael ei losgi, mae llawer o nwyon yn cael eu rhyddhau i'r awyr.

Mae'r atmosffer yn cynhesu oherwydd bod y nwyon yn dal y gwres o'r Haul.

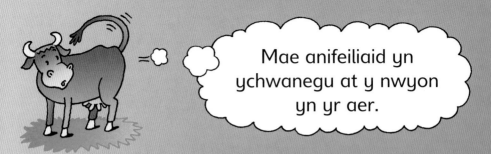

Mae anifeiliaid yn ychwanegu at y nwyon yn yr aer.

Os bydd y Ddaear yn cynhesu, bydd y tywydd yn newid. Mewn mannau oer, byddai'r rhew a'r eira'n toddi a gallen nhw achosi llifogydd enfawr.

Ymhen cannoedd o flynyddoedd, efallai bydd yr holl iâ yma wedi toddi.

Geirfa'r tywydd

Dyma rai o'r geiriau yn y llyfr hwn sy'n newydd i ti, efallai. Mae'r dudalen hon yn rhoi'r ystyr i ti.

 defnyn – diferyn bach o ddŵr. Maen nhw'n mynd at ei gilydd i wneud cymylau.

 grisial iâ – diferyn o ddŵr wedi rhewi. Grisialau iâ yw plu eira.

 mellten – fflach o olau o gwmwl storm.

 cenllysgen – pelen o iâ sydd wedi cael ei ffurfio mewn cwmwl storm.

 corwynt – storm ffyrnig. Mae teiffwnau neu seiclonau hefyd yn enwau arnyn nhw.

 gorsaf dywydd – man lle mae gwyddonwyr yn mesur y tywydd.

 rhagolygon y tywydd – adroddiad am sut mae'r tywydd yn mynd i fod.

Gwefannau diddorol

Os wyt ti'n gallu mynd at gyfrifiadur, mae llawer o bethau am y tywydd ar y Rhyngrwyd. Ar Wefan 'Quicklinks' Usborne mae dolenni i bedair gwefan hwyliog.

Gwefan 1 – Dysgu rhagor am beth sy'n gwneud i'r tywydd ddigwydd.

Gwefan 2 – Byrstio cymaint o gymylau ag sy'n bosib mewn gêm fywiog.

Gwefan 3 – Gwneud cwis mellt a tharanau.

Gwefan 4 – Chwarae fideo i weld sut mae corwyntoedd yn digwydd.

I ymweld â'r gwefannau hyn, cer i **www.usborne-quicklinks.com.** Darllena ganllawiau diogelwch y Rhyngrwyd, ac yna teipia'r geiriau allweddol "beginners weather".

Caiff y gwefannau hyn eu hadolygu'n gyson a chaiff y dolenni yn 'Usborne Quicklinks' eu diweddaru. Fodd bynnag, nid yw Usborne Publishing yn gyfrifol, ac nid yw chwaith yn derbyn atebolrwydd, am gynnwys neu argaeledd unrhyw wefan ac eithrio'i wefan ei hun. Rydym yn argymell i chi oruchwylio plant pan fyddant ar y Rhyngrwyd.

Anifeiliaid Peryglus

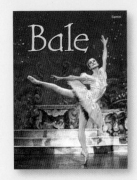

Bale

Byw yn y gofod

Ceffylau a Merlod

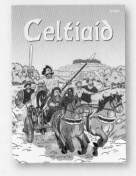

Celtiaid

Coedwigoedd glaw

Cŵn

Deinosoriaid

Dy Gorff

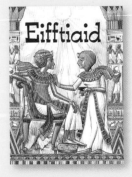

Eifftiaid